Koen Kampioen gaat

Koen Kampioen
Koen Kampioen krijgt een hond
Koen Kampioen komt in de krant
Koen Kampioen en de superbeker
Koen Kampioen gaat op kamp
Koen Kampioen komt in actie!
Koen Kampioen helpt de club
Koen Kampioen en het grote toernooi
Avontuur bij FC Top
Een echte nummer 10
Koen Kampioen speelt in Italië
Koen Kampioen op tv

Actuele informatie over Kluitmanboeken
kun je vinden op kluitmankinderboeken.nl

Koen Kampioen gaat op kamp

Fred Diks

6e druk

tekeningen
ivan & ilia

Voor Miranda, Ydwine en Alle

ME ME ME ME ME
AVI S 3 4 5 6 7 P
CLIB S 3 4 5 6 7 8 P
Voetbal

Toegekend door Cito i.s.m. KPC Groep

Nur 282/W021306
© Uitgeverij Kluitman Alkmaar B.V.
© Tekst: Fred Diks
© Illustraties: ivan & ilia
Omslagontwerp: Design Team Kluitman
Opmaak binnenwerk: Bureau NU, Alkmaar

kluitmankinderboeken.nl
freddiks.nl

In de roos

'Bukken! Vliegende kegels,' roept Koen vrolijk.
Hij schopt de bal keihard tegen een kegel.

Zijn vriend Niels springt net op tijd aan de kant.
'Kijk uit!' zegt hij. 'Ik krijg hem bijna tegen mijn
been.'

Koen voetbalt met FC Top in de gymzaal. Zijn
trainer Sebas van der Broek heeft daarvoor
gezorgd. 'De velden zijn in de winter hard,' zei
hij. 'Daarom trainen we binnen.'

Koen roept: 'In een zaal spelen is keigaaf,
Broekie.' Zo wordt Koens trainer genoemd.

Koen haalt weer uit voor een harde knal. Dit
keer gaat de bal omhoog.

'Schiet laag,' zegt Broekie streng. 'Je moet de
kegels omtrappen. En die hangen niet aan het
plafond.'

Toch gaat het even later weer mis. Koen knalt
hard. Oeps, weer te hoog, denkt hij. De bal lijkt
tegen de deur van de gymzaal te spatten. Maar
dat is niet zo. Ineens gaat de deur open. De

voorzitter van FC Top, meneer Waser, staat in de
opening. Hij heeft een brief bij zich.

Koen slaat zijn handen voor zijn ogen. Hij
weet wat er zal gebeuren. O... wat erg, denkt
hij.

Plof! Meneer Waser krijgt de bal midden in zijn
gezicht. Hij valt als een blok op de grond.

Tarkan proest het uit. 'Wauw. Wat knap. Precies
in de roos.'

Maar niemand lacht om de grap.

Broekie pakt snel de waterzak. Hij haalt de
spons eruit. Die duwt hij in het gezicht van
meneer Waser. Maar de voorzitter beweegt nog
steeds niet.

'Ik heb een beter idee,' stelt Koen voor. Hij pakt de waterzak en gooit al het water naar de voorzitter.

'Euh. Brrr. Wat gebeurt er?' Meneer Wasers nette pak is kletsnat.

'Wat doe je nou, Koen Kampioen?' giechelt Renske. Zij en Aukje voetballen ook in Koens team.

Aukje zet grote ogen op. 'Wat een knal! Dit is al de tweede keer dat Koen zo goed mikt.'

De voorzitter schudt zijn hoofd heen en weer. Dan voelt hij aan zijn oog. Hij kijkt een beetje zielig. Langzaam komt hij overeind.

Koen wordt spierwit. 'Sorry. Ik schoot uit met mijn voet.'

'Ja ja,' lacht Tarkan. 'En ook met de waterzak.'

Maar de voorzitter is sportief. 'Ach. Ben je mal. Ik ben blij met spelers die zo hard schieten. Jij komt later vast in het eerste team.'

Koen is blij dat meneer Waser niet boos is.

De voorzitter richt zich tot Broekie. 'Kan ik je

even spreken? Het is erg belangrijk.' Hij laat de natte brief zien.

'Voetballen jullie maar verder,' zegt Broekie tegen zijn team.

De spelers hebben dolle pret bij het voetbal met de kegels. Maar Koen kijkt naar de kant. Daar praat meneer Waser met Broekie. Broekie leest de brief.

Wat zal erin staan? denkt Koen.

'Hé. Slaapkop,' lacht Renske. 'Let eens op. Ik heb je kegel omgeknald. Jij bent af.'

'O,' zegt Koen dromerig. Hij raapt de kegel op en gaat aan de kant zitten. Koen kijkt weer naar meneer Waser en Broekie. Broekie stopt net de brief in zijn broekzak. Hij steekt zijn duim omhoog.

Na een poos gaat meneer Waser weg. Zonder brief, maar wel met een blauw oog. En een nat pak.

Wedden?

Koens team speelt daarna bankvoetbal. Broekie legt het spel uit. 'Trap je de bal tegen de bank? Dan krijg je een punt.' Hij pakt intussen een tafel. Daar zet hij bekers op. Die vult hij met cola.

Bij het bankvoetbal gaat het er wild aan toe.

'Het lijkt wel een flipperkast!' roept Broekie. De bal stuit vaak via de bank tegen de muur. En daarna tegen een deur. Maar net niet tegen de tafel met cola.

Na de training is iedereen doodmoe. Alle spelers pakken hun drinken. Ze gaan in een kring om Broekie staan.

Die pakt een doos uit zijn tas. 'Ik heb voor jullie allemaal een reep chocola,' zegt Broekie. 'Want ik heb een weddenschap gewonnen.'

'Waar ging die dan over?' wil Koen weten.

'We hadden thuis appeltaart. Jullie weten dat ik daar gek op ben. Ik zei dat ik de hele taart in mijn eentje op kon. Maar mijn moeder geloofde dat niet. Toen heb ik gewed om tien repen chocola. En ik heb gewonnen. Mmm. Wat was die taart lekker. Ik heb nu al dagen last van buikpijn. Daarom mogen jullie ieder een reep hebben.'

Gijs zet grote ogen op. 'Hé, lekker. Zo'n weddenschap wil ik ook wel.'

'En als je had verloren?' vraagt Renske aan Broekie.

'Dan had ik mijn moeder een week lang elke dag moeten trainen.' Broekie lacht. 'Ze weet niet eens dat een bal rond is. Daarom wed ik alleen als ik weet dat ik win. Maar ik heb ook nog ander nieuws.' Broekie pakt de brief uit de zak van zijn broek. Hij zwaait ermee.

'Jullie weten dat de competitie nu stilligt. Want het is winterstop. Daarom gaan we over drie weken iets leuks doen.'

'Wat dan?' vraagt Koen.

'We gaan op voetbalkamp,' zegt Broekie trots. 'Voorzitter Waser heeft bericht gekregen dat het door kan gaan. We gaan naar Doewijk.'

Alle spelers beginnen te juichen.

'Wat tof,' zegt Aukje.

'Wat gaan we daar dan doen?' wil Koen weten.

'Veel spelletjes. Zwemmen. En we gaan ook voetballen,' vertelt Broekie. 'Tegen Doewijk Vooruit. Dat is een hele grote club. Met heel veel goede spelers.'

'Dan verliezen we dik,' meent Gijs.

'Wat maakt dat nou uit?' zegt Broekie. 'Van sterke ploegen kun je veel leren. Je hoeft toch niet altijd te winnen?'

'Ik wel,' vindt Aukje. 'Want ik kan niet tegen m'n verlies.'

'Ook dat moet je leren,' meent Broekie. 'Het

wordt vast erg gezellig. We logeren in huisjes.
Die liggen in de bossen. Het is ongeveer een half
uur rijden.'

'Wie gaan er nog meer mee?' vraagt Aukje.

'Meneer Waser en kantinebaas Frank,' zegt
Broekie. Hij denkt nog even na. 'O ja. Over drie
weken krijgen we er ook een nieuwe ster bij. Een
echte topper.'

'Hoe heet die dan?' vraagt Gijs. 'Kennen we
hem al?'

'Hij heet Tim. En jullie kennen hem nog niet.'
Broekie probeert zijn lachen in te houden. 'Ik heb
hem zelf gekocht.'

'Gekocht?' Koen snapt er niets meer van. 'Kun
je zomaar spelers kopen? Wordt hij dan prof?
Dan wil ik dat ook. Kunnen we elke dag bij FC
Top trainen. En hoeven we nooit meer naar
school. Lijkt me vet cool.'

'Ik wil ook prof worden,' roept Niels.

'Ik ook! Ik ook!' schreeuwt de rest van het
team.

Broekie ligt dubbel van het lachen. 'Doe maar

rustig,' gebaart hij. 'Het was maar een grapje.
Denk toch eens na. Je mag helemaal geen kind
kopen.' Broekie staart voor zich uit. Hij glimlacht
in zichzelf. 'Toch wel handig. Ik zie het al voor
me. Dan koop ik een heel nieuw team. Met
echte sterren. Echte FC Toppers. Dan word ik elk
jaar kampioen. Maar eerst verkoop ik jullie. Met
heel veel korting!'

Koens team begint boe te roepen. De spelers
gooien hun lege plastic beker naar Broekie.
Behalve Koen.

Broekie weert alle bekers af. Hij lacht hard.

Koen doet of hij boos is. 'Poeh, Broekie. Wat
denk je wel niet. Ons met korting verkopen?

We zijn juist heel veel waard.'

'Weet ik,' lacht Broekie. 'Ik wil jullie echt niet kwijt. Nog niet voor een miljoen.' Broekie denkt weer even na. Hij kijkt dromerig voor zich uit. 'Hoewel... Voor een miljoen?' Nu krijgt hij ook het bekertje van Koen naar zijn hoofd geslingerd. Broekie bukt te laat.

'Ha ha. Mooi zo. Voor de derde keer in de roos,' lacht Tarkan. 'Grote klasse, Koen Kampioen.'

'Volgens mij krijgen we er geen nieuwe speler bij,' zegt Koen.

'Wedden van wel?' zegt Broekie met een lach op zijn gezicht.

De nieuwe speler

Koen heeft een brief van FC Top gekregen.
Daarin stond wat hij allemaal mee mag nemen
op kamp. Eindelijk is het zover.

'Kom, pap en mam. Brengen jullie me weg?'
vraagt Koen. 'Anders kom ik te laat.'

'Gaan jullie soms een jaar op vakantie?' wil
Koens vader weten. Hij propt alvast wat spullen
van Koen in de kofferbak.

'Hoezo?' vraagt Koen.

'Omdat je zoveel tassen bij je hebt.'

'Vind je?' Koen draagt een rugzak naar de auto.
Hij sjouwt ook nog met twee grote tassen. Verder
heeft hij een spel onder zijn arm geklemd. De
zakken van zijn jas puilen uit van het snoep.

Zijn hond Max springt tegen hem op. Het lijkt
net alsof die huilt.

'Ik kom zondag tegen de avond al weer terug,'
zegt Koen. Hij geeft Max een lieve knuffel. 'Jij
mag mee uitzwaaien.'

Dan rijden ze naar FC Top.

Onderweg plaagt Koens vader hem. 'Spelen jullie tegen Doewijk Vooruit? Dat heeft geen zin. Die zijn keigoed. Ze spelen jullie zo achteruit. Ha ha.'

'Van verliezen kun je leren,' vindt Koen. Als we maar niet met 10-0 verliezen, denkt hij. Dan wordt het een vet balen-kamp.

Koen en zijn vader halen even later alle spullen uit de auto. Zijn moeder doet Max aan de lijn. Ze lopen naar Frank.

Broekie praat een eind verderop met een jongen.

'Is dat die Tim?' vraagt Koen aan Frank.

De kantinebaas knikt.

Aha, denkt Koen. Had Broekie toch gelijk. We krijgen er echt een nieuwe speler bij. Waar komt hij vandaan? denkt hij. Is hij hier komen wonen?

Koen mag in de auto van Frank. Die stopt Koens spullen achter in de auto.

Dan loopt Koen met zijn vrienden naar Broekie.

Broekie slaat zijn arm om de nieuwe speler. 'Kijk. Dit is Tim. En ik heb hem niet gekocht, eerlijk waar,' zegt hij. Hij doet spuug op twee vingers. Dan steekt hij ze in de lucht. 'Ik zweer het. Ik zal het maar verklappen. Tim is mijn neefje. Hij is net zo oud als jullie. Hij logeert een poosje bij ons.'

'Heb jij zelf dan geen ouders?' vraagt Koen.

'Jawel, hoor,' antwoordt Tim. 'Zij zijn in het buitenland. Ze werken voor Unicef. Maar ze komen over een poos weer terug.'

'Unicef?' vraagt Gijs.

'Ja. Dat is een soort club,' legt Tim uit. 'Die

komt op voor alle kinderen van de hele wereld.
Er zijn nog steeds kinderen die honger hebben.
Of die niet naar school kunnen. En die de hele
dag heel hard moeten werken. Unicef wil die
kinderen helpen.'

'Wat goed,' vindt Koen.

'En Tim had wel zin om mee te gaan op kamp,'
gaat Broekie verder. 'Vandaar.'

'Kun je goed voetballen?' wil Renske weten.

'Gaat wel,' antwoordt Tim. 'Ik voetbal niet
vaak. Ik ga meestal vissen.'

'Dan moet je maar niet bij ons op doel gaan
staan,' zegt Tarkan.

'Vooral niet tegen Doewijk Vooruit,' meent
Koen. 'Dan krijgen we vast een flink pak slaag.'

'Dan sla ik terug,' zegt Tim.

Iedereen lacht om de neef van Broekie.

Broekie kijkt op zijn horloge. 'Kom. We gaan
naar de auto's. Op naar het kamp.'

De spelers juichen.

Koen neemt afscheid van zijn ouders. Dan aait
hij Max nog een keer.

'Zul je ons missen?' vraagt zijn moeder.

'Tuurlijk niet. Over twee dagen ben ik al weer terug,' doet Koen stoer.

'Misschien zien we jou wel eerder,' zegt Koens vader. Meteen slaat hij zijn hand voor zijn mond. Hij krijgt een flinke por van Koens moeder.

'Sufferd,' sist ze.

'Hoezo?' vraagt Koen. 'Komen jullie ook naar het kamp?'

'Nee, natuurlijk niet,' zegt zijn moeder. 'Veel plezier.'

Even later stapt ze met Koens vader in de auto. Ze kijkt nog steeds een beetje boos.

Broekie en Tim zitten ook bij Frank in de auto.

'Heb je nog nooit bij een club gevoetbald?' vraagt Koen aan Tim.

'Nee. Maar ik speel soms met vrienden, voor de lol.'

'Wie weet,' lacht Koen. 'Misschien speel je wel de sterren van de hemel.'

Tim straalt.

Enge vossen

Koens team komt na een half uur aan bij de huisjes. Frank laadt de spullen uit zijn auto.

Koen bibbert. Hij kijkt rond. Het is al heel vroeg donker. En het is ijskoud. 'Wat een eng spookbos.'

Broekie lacht. 'Pas maar op. Er zijn echte spoken in dat bos. Wedden dat jullie er eentje tegenkomen?'

Koen doet stoer. 'Wat een onzin, Broekie! Jij elke keer met je wedden dat.'

'Let maar op. Zet jullie spullen maar op de slaapkamer,' stelt Broekie voor. 'We gaan straks eerst samen eten. Daarna vertel ik wat we gaan doen. Neem in ieder geval je dikke jas mee.'

'Dus we gaan naar buiten?' vraagt Koen. Maar hij wacht niet eens op het antwoord. Hij mag met Niels en Tim op één kamer. Ze hollen er naartoe.

'Wauw! Een gewoon bed en een echt

stapelbed,' roept Niels als ze binnenkomen.

Ze springen met zijn drietjes op de matras van het bovenste bed.

'Kijk eens hoe ik hoog kan,' zegt Koen.

De matras lijkt op een trampoline. De drie jongens hebben veel lol. Tim springt heel hoog. Koen wil nog hoger. Maar hij knalt met zijn hoofd tegen het plafond.

'Au!' gilt hij.

'Doe er maar koud water op,' zegt Niels. 'Anders krijg je een dikke bult. En kun je tegen Doewijk Vooruit niet meedoen. Dan weet ik niet wie onze goals moet maken.'

Tim schiet in de lach. 'Broekie vertelde dat jij Koen Kampioen bent. Nu ben je ook al kampioen met koppen tegen een plafond.'

Koen grinnikt. Broekie heeft een leuke neef, denkt hij. 'Kom, we gaan naar de eetzaal.'

Daar zit de rest van het team al aan een lange tafel.

'Hé, heb jij je gestoten?' vraagt Broekie als hij Koen ziet.

'Nee hoor. Hoe kom je er bij? Ik wou even kijken hoe wit het plafond was.'

Broekie snapt er niets van. Maar Niels en Tim liggen in een deuk.

Een meneer komt uit de keuken. Hij brengt vijf schalen met broodjes. De spelers lijken op wolven die honger hebben. Ze werken alle broodjes snel naar binnen.

'Hé. Waar zijn meneer Waser en Frank gebleven?' vraagt Koen na het eten.

'Eh…eh…' stottert Broekie. 'Die zie je vanavond nog wel. Die zijn, eh… even weg.'

Koen wil weer wat vragen.

Maar Broekie vertelt snel verder. 'Morgen spelen we in de sporthal. Doewijk Vooruit schijnt echt heel goed te zijn. Ik hoop niet dat we dik verliezen. Snik, snik,' stelt Broekie zich aan. 'Anders moet ik een tas vol zakdoeken meenemen. Tim doet dan voor het eerst mee. Ik ben benieuwd hoe het zal gaan.'

'Misschien wordt Tim later ook prof. Net als ik,' zegt Koen.

Tim haalt zijn schouders op. 'Ach. Ik wil geen prof zijn. Misschien ga ik zelf ook voor Unicef werken. Net als mijn vader en moeder.'

'Wat doen we vanavond?' wil Aukje weten.

'Een vossenjacht,' vertelt Broekie.

'Hè bah.' Renske haalt haar neus op. 'Enge vossen in het bos. Dan blijf ik liever hier bij de warme kachel.'

'Ik ga ook niet jagen,' zegt Gijs beslist. 'Dat is zielig voor die dieren.'

Broekie schudt zijn hoofd. 'Nee!' roept hij. 'Een vossenjacht is niet met dieren. Jullie moeten in het bos zoeken. Daar hebben zich verklede mensen verstopt. Het zijn er zeven. Heb je iemand gevonden? Dan krijg je een papier. Daar staat een letter op. En van die letters maak je na afloop een woord.'

'Wie zijn er allemaal verkleed?' wil Koen weten.

'Daar kom je zelf wel achter,' zegt Broekie lachend. 'Vergeet niet een zaklamp mee te nemen. Ze liggen klaar op de tafel in de hal.

Want het is erg donker in het bos. Ik ben bang
dat jullie anders verdwalen. Dan vinden we jullie
nooit meer terug. En moet ik toch nog op zoek
naar nieuwe spelers. Dus kijk goed uit in het
enge bos. En… het schijnt dat het er vreselijk kan
spoken. Hoei, woei.'

'Doe niet zo flauw,' moppert Aukje.

'Ik doe niet flauw,' meent Broekie. 'Het kan
echt eng spoken in het bos.'

'Ben jij de leukste thuis?' zegt Koen. 'Spoken
bestaan niet.'

Broekie lacht geheimzinnig. 'Wedden van wel?'

Arme deftige dame

Koen zit bij Niels, Renske en Tim in het groepje.

'Kom op. We gaan op jacht naar de vossen. Heeft iedereen een geweer bij zich?' vraagt Koen.

'Ach. Als er een echte vos komt, geef ik hem gewoon een klap,' zegt Tim stoer. 'Met de zaklantaarn. Dan gaat zijn lampje snel uit.'

'Jij bent al net zo'n grapjas als Tarkan,' lacht Renske.

Tim trekt aan de mouw van zijn jas. 'Grapjas? Nee hoor. Dit is een winterjas.'

Het groepje gaat op weg.

Ineens schiet er een schim door het licht van de zaklamp.

'Hé. Wie was dat?' Koen rent op de schim af.

'Een postbode,' zegt Niels. 'Post bezorgen in een bos? Dat bestaat toch niet? Hier woont toch niemand?'

De postbode blijft staan. Hij houdt een pakje

en een brief vast.

Tim schijnt in het gezicht van de postbode.

Koen kijkt goed. Dan zet hij grote ogen op. 'Hè? Mam? Jij hier?'

Koens moeder lacht. 'Ja. Leuk, hè? Broekie heeft ons gevraagd of we mee wilden doen. Je vader loopt hier ook ergens rond.'

Koen wordt erg nieuwsgierig. 'Hoe ziet hij er dan uit?'

'Kom op, zeg. Dat verklap ik niet.' Dan schiet ze in de lach. 'Maar hij is wel een engerd...'

Koens groepje krijgt de letter "A" mee.

'Veel plezier,' zegt Koens moeder. 'Ik ga op zoek naar brievenbussen. Ik hoop dat ik ze kan vinden. Dag.'

Koen moet lachen om zijn moeder.

Ze lopen weer verder. Na een tijdje zien ze een deftige dame met een rare pruik. Ze draagt een lange jurk. De dame staat wankel op haar hoge hakken.

Het groepje komt dichterbij. Koen ziet meteen wie het is. 'Hallo, Frank.' Koen kan zijn lachen bijna niet inhouden. 'Arme Frank. Rare deftige dame.'

Frank kijkt beteuterd. Hij heeft rode lippen en zwarte wimpers. 'Hoe weet je dat ik het ben? Ik heb me nog wel zo goed verkleed. Ik snap er niets van.'

'Ha ha,' lacht Koen. 'Iedereen ziet meteen dat jij het bent.'

Frank haalt zijn schouders op. 'O ja? Hoe dan?'

'Kijk eens wat er onder je neus hangt. Een snor. Heb jij wel eens een vrouw met een snor gezien?'

Frank schiet in de lach. 'Je hebt gelijk.' Hij wrijft over zijn snor. 'Wat dom. Ik had me moeten scheren. Hier heb je de letter "E".' Frank strompelt op zijn hoge hakken verder door het

bos. Hij houdt zijn hand onder zijn neus.
'Kunnen de andere groepen mijn snor niet
zien.'

Daarna horen ze iemand zingen. 'Ik ga – hik –
nog niet naar – hik – huis. Nog lange niet – hik.
Want mijn moeder is niet – hik – thuis.' Het lied
klinkt erg vals. De man heeft een fles bier in zijn
handen.

'Bah. Een dronken man,' zegt Niels.

'Proost,' hikt de man. 'Willen jullie – hik – ook
een slokje?' De man zwaait wild met zijn armen.
Met zijn rug leunt hij tegen een boom. Hij valt
bijna om. 'Oeps.' Hij grijpt met een arm naar een
tak.

Renske gilt. 'Jakkes! Wat een engerd. Is die
zwerver verdwaald?'

Tim schijnt met de lamp. De dronken man trekt
een tak van de boom. Hij valt op de grond.

'Pas maar op,' zegt Renske tegen de rest van
de groep. 'Liggen laten. Dronken mensen
kunnen soms heel raar doen. Kom. We lopen er
snel voorbij.'

Maar als ze dichterbij komen zien ze wie het is.

'Meneer Waser?' roept Koen verbaasd uit. 'Bent u dronken? Komt dat omdat het eerste team voor de winter zo vaak verloren heeft?'

Meneer Waser lacht. Hij staat op. 'Nee hoor. Ik ben nepdronken.'

'Nepdronken?' vraagt Koen.

'Ja. Ik doe net alsof.'

'O. Wacht even.' Koen snapt nu pas wat er aan de hand is. 'U doet ook mee aan de vossenjacht.'

'Precies,' zegt meneer Waser. 'Jullie krijgen van mij de letter "O".' Dan knipoogt hij naar Koen. 'Zullen we straks een biertje drinken?'

'Mooi niet,' antwoordt Koen. 'Ik wil prof worden. Dan moet je geen bier drinken. En het lijkt me ook niet lekker. Ik heb liever cola.'

'Groot gelijk.' Meneer Waser knikt. 'Zo. Nu ga ik verder met gek doen.' De voorzitter loopt door. Hij wankelt op zijn benen. Ook begint hij weer erg vals te zingen.

Koen en zijn vrienden lopen verder. Opeens zien
ze een struik bewegen.

'Help. Wat eng!' gilt Renske.

'Zal ik je hand even vasthouden?' stelt Koen
verlegen voor. 'Je hoeft niet bang te zijn.'

Tim en Niels stoten elkaar aan. Ze lachen
stiekem.

'Nee hoor. Het gaat wel weer,' fluistert
Renske.

'Dan niet,' zegt Koen. Hij tuurt naar de struik.
'Kijk. Daar ligt iemand op de grond.'

'Met donkergroene kleren,' ziet Niels. 'Kom,
we gaan er zachtjes op af.'

Als ze dicht bij de struik zijn, springt er
plotseling iemand te voorschijn.

Iedereen schrikt als er een soldaat voor hun

neus staat. Eentje met een echt geweer in zijn handen.

'Staan blijven!' zegt de soldaat streng.

Renske vliegt Koen om de hals. 'Help!'

Koen zegt: 'U hoort vast bij de vossenjacht.' Hij kijkt de soldaat heel goed aan en denkt na. Dan ziet hij wie het is. 'Hé! U bent de moeder van Gijs.'

'Klopt,' zegt ze. 'Mijn broer was vroeger soldaat. Van hem heb ik dit stoere pak geleend. Hier is de letter "T". Nog veel plezier. Ik verstop me weer in de struiken.'

'Dat was schrikken,' zucht Renske. Gauw laat ze Koen weer los.

'Tim? Wil jij de letter bij je houden?' vraagt Koen.

Maar Tim is er niet meer.

Koen schrikt. 'Hoe kan dat nou? Waar is hij?'

Tim is nergens.

'Heeft hij zich soms verstopt?' vraagt Renske zich af. 'Of wil hij weer lollig doen?'

'Kom,' zegt Koen. 'We moeten Tim vinden.'

'Tim! Tim. Waar ben je?' roept Renske. Maar er komt geen antwoord.

Na een poos zien ze iets bewegen achter een dikke boom. Er komen lichtstralen vandaan.

'Zit daar een spook?' Renske grijpt de hand van Koen.

'Alles komt goed,' zegt hij stoer.

Ze sluipen naar de dikke boom. Als ze dichtbij zijn, schijnt het licht van de lantaarn in hun ogen.

Renske klampt zich vast aan Koen.

'Boe!' roept Tim. 'Geintje.'

'G...g...geintje?' stottert Renske. 'Ik schrik me dood.' Ze houdt Koen nog steviger vast.

'Ach,' doet Koen stoer. Hij vindt het cool dat Renske hem vasthoudt. 'Zulke geintjes zijn leuk.'

Superman en het bange spook

Het groepje van Koen heeft veel lol. Vooral als ze Tarkans opa tegenkomen. Ze krijgen de slappe lach. Tarkans opa is verkleed als Superman. Hij draagt een strak gekleurd pak. Met een grote S op zijn buik.

Koen moet er vreselijk om lachen. Tarkans opa ziet er maf uit. 'Kijk,' zegt Koen tegen Tim. 'Superman! Zou hij echt kunnen vliegen?'

'Pas maar op,' grapt Tarkans opa. 'Straks vlieg ik nog weg. En dan krijg je geen letter van mij.' Hij draait zich om en steekt zijn handen in de lucht. Hij doet net alsof hij de lucht in wil vliegen.

'Maar we hebben nog geen letter!' roept Renske.

Tarkans opa komt weer terug. 'Hier heb je de "V".'

'De v van vliegen,' verzint Tim.

Ook komen ze Aukjes vader tegen. Hij is verkleed als bakker. Hij deelt broodjes uit. 'Het groepje van Gijs heeft bijna alle broodjes opgemaakt. Toch heb ik er nog een paar over,' zegt Aukjes vader.

'Mmm. Lekker,' lacht Koen. 'Ik had al weer trek.'

'Dat komt vast door de buitenlucht,' denkt de vader van Aukje. 'Van mij krijg je de letter "L".'

Koen telt de letters. 'We hebben er nu zes. Laten we snel op zoek gaan naar de zevende letter. Dan kunnen we naar binnen om het woord te maken.'

'Wat jammer dat wij Superman niet zijn,' zegt Tim. 'Dan hadden we kunnen vliegen. Snel terug naar de huisjes.'

Van grote afstand zien ze een lichtflits. En daarna nog een.

'Hé. Heeft Tim zich weer verstopt?' Koen kijkt om zich heen. Maar Tim loopt gewoon naast hem.

'Nee. Dit keer is het iemand anders,' zegt Tim.

'Kijk. Een echt spook,' wijst Niels. 'Een hele enge.'

Renske grijpt voor de zekerheid weer de hand van Koen.

'Hoeoeoe, haaaaa,' klinkt het door het donkere, enge bos. Onder een wit laken gaat een lampje aan en uit.

Koen knipoogt naar Renske. 'Dit is vast geen echt spook,' zegt hij stoer.

'Weet je dat zeker, Koen?' vraagt Renske.

'Ja. Dit is een nepspook. We hoeven niet bang

te zijn. Volgens mij zit er iemand onder het laken die ik heel goed ken.' Koen denkt terug aan de woorden van zijn moeder: 'Je vader ziet eruit als een engerd.'

Tim schijnt met zijn lamp naar het spook. Het spook maakt nu nog engere geluiden.

Tim wil weer een grap uithalen. 'Ik red jullie!' schreeuwt hij. Hij rent op het spook af. Tim slaat drie keer hard met zijn zaklamp tegen het hoofd van het spook.

Het hele groepje schiet in de lach.

'Da's een goeie!' roept Koen.

Maar het spook wordt bang. Hij gilt het uit: 'Au. Au. Dat doet hartstikke pijn!' Het spook trekt zijn witte laken omlaag.

'Hoi, pap Spook,' lacht Koen. 'Leuk dat je meedoet.'

'Leuk? Dat dacht ik ook,' moppert zijn vader. Hij wrijft met zijn hand over zijn hoofd. 'Maar nu niet meer. Straks heb ik een heel dikke bult op mijn hoofd. Jullie krijgen van mij de letter "B". De b van balen. Bah!'

'Tof,' grapt Koen. 'Met bult zie je er tenminste echt eng uit. Hoef je niet eens een laken over je heen te trekken.'

'Sorry,' zegt Tim. 'Het was een geintje.'

Maar Koens vader vindt het niet erg. 'Ik hoop dat je net zo hard kunt schieten als slaan. Dan wordt het geen afgang tegen Doewijk Vooruit.'

'Ach. Dat zien we morgen wel,' merkt Koen op. 'Ik hoop niet dat die club ons kamp verpest.'

De groepjes gaan na de vossenjacht aan tafel zitten. Superman, het spook met bult en de dronken man komen binnen. Samen met de bakker en de postbode. De soldaat en de deftige dame met snor zitten er al.

De spelers lachen om de rare vossen.

'De vossenjacht was echt top,' zegt Koen tegen Broekie.

'Mooi zo.' Dan staat Koens trainer op. 'Probeer nu het goede woord te maken. Wedden dat het niemand lukt?'

Koen schuift de letters heen en weer. 'Is "tevabol" een echt woord?'

'Nooit van gehoord,' zegt Renske. 'Je kunt er ook "bavolet" van maken.'

'Dat slaat nergens op,' vindt Niels. 'Misschien bestaat "tovelab" wel.'

Koen stoot Tim aan. 'Zeg jij eens wat. Het woord dat we zoeken heeft zeven letters.'

'Simpel toch,' zegt Tim.

Renske haalt haar schouders op. 'Hoezo, simpel? Wij komen er niet uit.'

'Zijn jullie gek op vissen? Nee toch. Waar zijn jullie wel dol op?'

'O, natuurlijk.' Koen snapt het. 'Wij zijn gek op voetbal. Het woord is: "voetbal".'

'Precies,' knikt Tim.

Koen roept: 'Broekie? Tim weet het woord.'

'Wat dan?' vraagt Broekie.

'Voetbal!' roept Tim.

'Klopt,' zegt Broekie. 'Grote klasse. Tim is slim. Ik kan merken dat je familie van me bent.'

Geheimpjes

De volgende morgen zit Koens team aan het ontbijt. Iedereen is nerveus.

'Zullen we de wedstrijd maar afzeggen?' stelt Aukje voor.

'We verliezen toch dik,' zegt Renske sip.

'Het gaat gewoon door,' vertelt Broekie. 'Het wordt vast een leuke wedstrijd.'

'Wacht dat maar af,' zegt Koen.

Dan vertelt Tim over zijn ouders. Dat ze nu in een ver land zijn. En dat ze helpen met het bouwen van een school. Daarvoor hebben ze geld gekregen van mensen. Die hebben voor Unicef kaarten verkocht. 'Of andere acties gehouden,' zegt Tim. 'Als de school klaar is, kunnen de kinderen er les krijgen.'

'Jammer dat ze onze school niet mee hebben genomen,' zegt Koen. 'Dan was ik lekker vrij geweest.'

'Maar dan blijf je altijd dom,' merkt Renske op.

'Klopt,' geeft Koen toe. 'Dat is ook niet fijn. Onze school afbreken? Wat moet juf Loes dan gaan doen?'

Koen denkt na over wat Tim vertelde. Ineens krijgt hij een idee. 'Pssst. Renske en Niels. Luister eens. Broekie wil toch vaak wedden?' Hij fluistert het tweetal iets in hun oren.

'Hé. Hebben jullie het soms over mij?' vraagt Tim.

'Ja. Het gaat ook over jou,' geeft Koen toe. 'Kom er maar gauw bij. Dan zal ik het vertellen.'

Tim komt dichtbij. Koen gaat verder met fluisteren. Tim zet grote ogen op. 'Wat een gaaf plan.'

'Maar ik weet niet of Broekie erin trapt,' zegt Koen zacht.

Ook Broekie ziet dat Koen aan het smoezen is. 'Hé. Hebben jullie geheimen?'

'Nee hoor,' antwoordt Koen. 'We hebben het over de wedstrijd. Ik durf te wedden dat ik vandaag drie goals maak.'

'Wedden van niet?' meent Broekie. 'Doewijk Vooruit is keigoed. Dat lukt jou nooit.'

'Waar wedden we om?' vraagt Koen.

'Eh… Ik wed om tien euro. Ik win toch. Maar als jij wint, mag je er geen snoep voor kopen.'

Gijs kijkt sip. 'Wat jammer. Voor snoep ben ik altijd in.'

'Tien euro? Wat veel. Oké,' zegt Koen. 'Als ik win, geef ik het aan een goed doel. Een heel goed doel.' En hij knipoogt naar Tim, Niels en Renske.

'En wat krijg ik van jou als ik win?' vraagt Broekie.

'Ik ruim na elke training de ballen op,' stelt Koen voor. 'Het hele seizoen.'

Broekie wrijft zich in zijn handen. 'Goed. We wedden. Pak jullie spullen. Doewijk Vooruit wacht op ons.'

In de kleedkamer zet Broekie een tas neer. 'Kijk eens, Tim. Dit zijn oude voetbalkleren van mij. Die mag jij wel hebben.'

Tim is trots op het tenue van FC Top.

'Je ziet er echt top uit,' zegt Renske. 'Het staat je heel goed.'

Koen kijkt een beetje jaloers naar Tim. Maar even later geniet hij als hij door de sporthal loopt. Dit is cool, denkt hij. De eerste keer dat ik in een echte sporthal voetbal.

Koen heeft intussen de rest van het team over zijn weddenschap verteld.

'We geven jou zo vaak mogelijk de bal,' vinden de spelers. 'Het zou wel tof zijn als jij wint.'

Het team van Doewijk Vooruit komt uit de kleedkamer.

'Wauw. Ik val flauw,' zegt Koen. 'Die spelers

zijn bijna net zo groot als Broekie. Dat wordt vet verliezen.'

'Mag mijn neef niet meedoen?' vraagt Tim.

'Nee. Daar ben ik veel te oud voor,' lacht Broekie.

De teams stellen zich op. De scheids fluit voor het begin.

'Ik blijf voorin staan, Niels,' zegt Koen. 'Je weet wel waarom.'

Niels steekt zijn duim omhoog.

Ook Tim staat in de voorhoede.

Doewijk speelt heel goed samen. Die ploeg komt al vlot op 1-0. Doelman Gijs is kansloos. FC Top heeft weinig in te brengen.

'Balen,' zegt Koen. 'Ik krijg geen goede bal voorin. Zo kan ik nooit scoren.'

Even later wordt het zelfs 2-0 en 3-0.

'Straks komt er van de weddenschap niets terecht,' mompelt Koen.

Kort voor rust schiet Aukje naar Koen. Die schiet laag in de hoek. Het is 3-1. 'Heb ik in ieder geval één goal gemaakt.'

Maar ook Tim kan goed voetballen. Na een voorzet van Niels scoort hij 3-2.

'Klasse, Tim!' roept Koen. 'Je eerste doelpunt voor FC Top.'

Tim glundert als Renske om zijn nek hangt. 'Voetbal is vet leuk,' zegt hij.

Maar toch blijft Doewijk Vooruit de betere ploeg. Ook na rust. Doelman Gijs moet alweer vlot de bal uit het net halen: 4-2.

Broekie snapt langs de kant dat zijn team niet zal winnen. 'Het verschil is te groot,' zegt hij in zichzelf. 'Doewijk Vooruit is veel beter.' Dan lacht hij. 'Hé, Koen. Jij hoeft geen drie goals te scoren, hoor. Anders kost het mij tien euro. Ik heb liever dat jij voortaan de ballen opruimt.'

Wacht maar af, denkt Koen.

Doelman Gijs heeft een rotdag. Want Doewijk
Vooruit maakt er zelfs 5-2 en 6-2 van.

'We verliezen toch!' roept Koen. 'Maar laten
we wel proberen zelf nog te scoren.'

FC Top zet alles op alles.

Doewijk Vooruit laat zich terugzakken.

Tim scoort weer een mooi doelpunt. Het is
6-3. 'Over een paar weken ga ik weer naar huis.
Dan meld ik me aan bij een club.'

'Jij kunt het hartstikke goed!' juicht Renske.

'Ik toch ook wel?' vraagt Koen een beetje
jaloers.

Renske knikt. 'Ja hoor. Jij ook wel.' Ze schudt
haar hoofd. 'Wat zijn jongens toch raar...'

Even later zet Aukje laag voor op Koen.

Die knalt met zijn ogen dicht. Als hij weer kijkt,
ziet hij de bal in het net liggen. 'Goal!' juicht
Koen. 'Ik hoef er nog maar eentje.'

'Nog eentje?' vraagt de keeper van Doewijk
Vooruit verbaasd. 'Jullie staan met 6-4 achter.

Jullie winnen nooit meer. Het is bijna tijd.'

'Maar ik kan nog wel winnen,' doet Koen geheimzinnig. Ik hoop zo dat het lukt, denkt hij.

In de laatste minuut geeft Koen de moed op. Jammer dat ik de weddenschap verlies, gaat het door zijn hoofd. Moet ik het hele seizoen de ballen opruimen, bah.

Het is bijna tijd. Dan schreeuwt Aukje: 'Hé, Koen. Let op!' Ze schopt de bal naar hem.

Koen gaat de doelman voorbij. En tikt koel in. Hij zorgt voor 6-5.

De scheids fluit meteen daarna voor het einde.

Koen gaat helemaal uit zijn dak. 'Yes! Ik heb drie goals gemaakt,' juicht hij.

'Ja. Maar je hebt wel verloren,' plaagt een tegenstander. Hij zet zijn wijsvinger op zijn voorhoofd. 'Kijk naar het scorebord. Daar staat 6-5 voor ons. Heb je soms een bril nodig? Snap je de regels wel?'

Koen moet er ook om lachen. Hij gaat meteen naar Broekie. En houdt zijn hand op. 'Ik heb drie goals gemaakt,' zegt hij.

'Klopt, Koen Kampioen,' knikt Broekie. 'Je hebt het eerlijk verdiend.' Hij haalt tien euro uit de zak van zijn trainingspak. 'Waar ga je het voor gebruiken?'

'Voor school,' zegt Koen.

Broekie snapt er niks van. 'School? Ik wist niet dat je daar zo graag naartoe ging.'

'Niet voor de mijne!' Koen lacht. Hij vertelt over de school die Tims ouders aan het bouwen zijn. En dat daarvoor veel geld nodig is.

'Wat een goed idee,' zegt Broekie.

Actie

De volgende morgen zit FC Top aan het ontbijt.
Broekie gaat staan. 'Dit is al weer de laatste dag
van het kamp,' zegt hij.

De spelers roepen allemaal: 'O, wat jammer!'

'Maar we maken er iets leuks van. Jullie mogen
een potje gaan voetballen. En daarna gaan we
zwemmen. Ze hebben hier in de buurt een
prachtig zwembad.'

De hele ploeg begint te juichen.

'Wat een tof kamp,' zegt Renske tegen Tim.

Die knikt.

Koen denkt na. 'Maar we kunnen ook wat
anders gaan doen,' stelt hij ineens voor.

Iedereen wordt stil.

'Wat anders?' herhaalt Broekie.

'Ja. Kijk,' begint Koen. 'Ik heb de weddenschap
gewonnen. En daar ben ik heel blij om. Maar met
tien euro kun je niet zoveel. Ik kan wat potloden
en schriften kopen. En dan is het geld al op.
Misschien kunnen we nog wel meer geld

verdienen. Zullen we in actie komen?'

'Wat bedoel je?' vraagt Aukje.

'We verzinnen dingen waarmee we geld kunnen verdienen. Misschien krijgen we wel vijftig euro bij elkaar.'

Broekie schudt zijn hoofd. 'Ik vind het een goed idee, Koen. Maar vijftig euro? Die krijg je nooit bij elkaar. Wedden dat het niet lukt?'

Koen grijnst. 'Durf jij nog te wedden?'

'Ja hoor. Alleen voor een goed doel. Winnen jullie? Dan doe ik er nog eens tien euro bij.'

'Hoe wil je extra geld verdienen?' vraagt Niels.

Koen pakt een pen en papier. 'Wie heeft er ideeën?'

Renske steekt haar hand op. 'Ik ga taart verkopen. Wie helpt mij met bakken?'

'Ik,' roept Broekie. 'Stoppen we er veel appels in.'

'Ik kan auto's gaan wassen,' zegt Tarkan.

Dat ziet Tim ook wel zitten. 'Ik doe met je mee.'

Niels kan goed tekenen. 'Ik maak straks kaarten. Die ga ik verkopen.'

Ook Gijs heeft een idee. 'Ik ga de buurt in. En dan vraag ik of ik oude mensen kan helpen.'

'Liedjes spelen op mijn blokfluit,' bedenkt Aukje. 'Die heb ik toch bij me.'

Koen schrijft alles op. 'Doet iedereen mee? Of gaan jullie liever voetballen en zwemmen?'

'Wij doen mee!' roept Niels.

Iedereen gilt: 'Actie. Actie. Actie!'

Koen straalt. 'Jullie zijn echt top. Ik ga langs de deur met een bal. Die ga ik hooghouden. Misschien krijg ik daar veel geld voor.'

Iedereen gaat aan de slag. Renske en Broekie zijn in de keuken. Ze maken beslag voor de taart. Niels zit aan een tafel. Hij tekent beroemde profs.

'Wat kun je dat goed,' vindt Koen. Hij ziet dat iedereen druk bezig is. 'Het kamp loopt anders dan ik dacht,' zegt hij tegen Tim. 'Maar het is vet cool om mensen te helpen. Dit is een superkamp.'

'Klopt,' knikt Tim. Hij pakt een emmer en een spons. 'Kom, Tarkan. Ga je mee?'

Koen loopt met een bal onder zijn arm. Hij belt aan bij een huis. Een man doet open. Koen legt zijn actie uit.

'Laat maar eens zien wat je kunt,' zegt de man. Koen houdt de bal hoog. Dat duurt bijna twee minuten. De man klapt voor hem. 'Hier, jongen. Jij krijgt twee euro.'

'Wauw.' Koen stopt het geld trots in zijn zak.

Een eindje verder ziet hij Tarkan en Tim bij een auto. 'Die wassen we voor geld,' zegt Tarkan trots. 'Wat glimt hij al mooi, hè?'

'Dat kun je goed,' meent Koen. 'Vertel het maar niet aan je opa. Anders moet je elke week zijn bus wassen.'

'Klopt,' zegt Tarkan. Hij houdt zijn vinger tegen zijn lippen. 'Mondje dicht.'

Koen lacht. Hij loopt verder. Aukje is op het plein. Daar speelt ze op haar blokfluit. Ze heeft een pet op de grond gelegd. Veel mensen staan om haar heen. Ze klappen voor haar. En doen geld in haar pet.

Koen komt later Renske en Broekie tegen. Zij verkopen stukken taart. 'Eén stukje koop ik zelf,' zegt Broekie. 'Het ziet er heerlijk uit.'

Niels is trots dat hij zijn kaarten kan verkopen. En een eind verderop wandelt Gijs met een oma in een rolstoel.

'Wat een tof kamp, hè?' zegt Gijs.

Koen knikt. Hij is het er helemaal mee eens. Zo'n leuk kamp vergeet ik nooit meer, denkt hij.

Een paar uur later is iedereen weer terug bij het huisje. Het geld wordt op de tafel gelegd. Ze tellen samen hoeveel het is.

'En?' vraagt Broekie.

Koen denkt na. 'Mogen we deze week nog doorgaan met de actie? Dan gaan we onze wijk in. En verdienen we nog meer.'

'Is best,' zegt Broekie. 'Want die vijftig euro halen jullie toch nooit. De weddenschap verlies je! Breng het geld donderdag maar mee. We trainen weer in de gymzaal. Tim is er dan voor het laatst.'

'Klopt. Dan ga ik weer naar huis,' zegt Tim.

Renske kijkt sip. 'O. Wat jammer.'

'Vind ik ook. Maar we kunnen toch chatten,' stelt Tim voor.

'Goed idee,' zegt Koen snel. 'We kunnen met z'n allen chatten.'

Op donderdag neemt Koen een grote envelop mee. Na de training laat hij hem aan Broekie zien.

Broekie kijkt verbaasd. 'Wat? Heb ik weer verloren?' lacht hij. 'Hoe kan dat nou?' Hij pakt tien euro uit zijn portemonnee.

Het team komt om Koen en Broekie heen staan.

'Ik geef nu het woord aan Koen Kampioen,'
zegt Broekie trots.

Koen stapt naar voren. Hij houdt de envelop
omhoog. 'Tim. Jij krijgt al het geld van de actie.
We wilden vijftig euro geven. Maar hier zit bijna
honderd euro in!'

'Wauw,' zegt Tim. Hij wrijft in zijn handen. 'Zal
ik er een nieuw tenue voor kopen? Of schoenen?
Voor als ik lid word van een club?'

'Dat feest gaat niet door,' lacht Koen. 'Het geld
is voor je ouders. Zoals
afgesproken. Het is voor
Unicef. Voor kinderen die het
goed kunnen gebruiken.
Misschien kunnen ze er spullen
voor school van kopen.'

Tim glundert. 'Tof van jullie.
Te gek.'

Iedereen klapt als Tim de
envelop aanpakt.

'Jammer dat je weer
weggaat,' meent Koen.

'Als ik vakantie heb, ga ik weer bij Broekie logeren,' vertelt Tim. 'Vinden jullie dat leuk?'

'Yes!' gilt het hele team.

'Een goed idee,' vindt Broekie. 'Dan mag het hele team bij mij komen. En gaan we samen voetballen. We maken er een groot feest van.'

Dan stapt meneer Waser ineens de gymzaal binnen. 'Hoor ik hier iets over feest? Hik. Zal ik dan maar iets te drinken inschenken?'

Koen kijkt naar de voorzitter. Hij is erg verbaasd. De vossenjacht is toch allang afgelopen?